KB036828

엇배기 농사꾼의 늙은 꿈

b판시선 58

신언관 시집

엇배기 농사꾼의 늙은 꿈

도서출판 b

| 시인의 말 |

젊은 시절 무던히도 민중 해방을 외쳤다
민중이 해방된 세상을 만들자고 했다
생각해보자
민중은 무엇이고 해방은 또 무엇인가
군부 독재의 장기 집권 시대도 끝났고 삼만 불 소득의 선진국으로 들어선 지금,
그것이 여전히 유효한 생각인지 돌아보지 않을 수 없다

그대는 민중인가 아닌가
2023년 지금 민중의 실체는 있는가
해방된 민중은 도대체 어떤 모습이며 민중 해방의 세상은 인류 역사에 있었는지?
혹은 실제로 실현 가능한 테제인지
아니면 공상의 세상, 천국 같은 것인지?
젊은 날 무던히도 외쳤던 민중 해방, 관념과 상상의 허깨비였던가?

어찌해야 잘사는 거냐고 늘 되묻는다

돌아오는 대답 또한 늘 같다

무슨 선택 어떤 결정이든 결국은 후회한다는 것

| 차 례 |

제2부

제3부

제4부

제1부

더께

푸른 하늘
아침 새의 노랫소리
나에겐 꿈이 있었지

하늘을 날아 노래하며
내일의 축복을 향한
정말 자랑스런 꿈이었지

어떤 기쁨도 잠시
또 어떤 슬픔도 잠시
그렇게 세월은
더께를 앉히고 흘러가는데

이따금
출세의 욕망에 눈 부릅뜨기도 했고
이제는
어둑한 세상 사는 게
별거 아님을 알게 되었지

그래,
우린 각자 노정이 달랐을 뿐
옳고 그름이 어디 있으며
성패의 구분이 어디 있겠는가

미선나무꽃

꽃이 진다고

슬퍼하지 마시게

모든 슬픔 사라지면

기쁨도 없을 테니까

* 미선나무 꽃말: 모든 슬픔이 사라진다.

엇배기 농사꾼의 늙은 꿈

시커멓게 그을린
보통의 종족과는 다른 모습으로
들판을 벗어나
나름 번잡한 도시 카페에서
아이스 아메리카노를 마신다

모 분얼이 끝나고
밭곡식 고랑을 채워갈 즈음
뼈마디 살점이 저려오면
신발을 바꿔 신는다

짐승에서 사람으로
야만에서 문명으로
싸움터에서 비무장지대로
햇빛 없이 에어컨 빵빵한 그늘
푹 꺼진 의자에 반쯤 파묻혀
끄적거리며 이 글을 쓰고 있다

젊은이들이 찡그리며 등 돌린 곳
꿈을 찾기엔 황량한 곳
별 의미 없이 늙어가는 곳
늘 탈출을 생각하게 하는 곳

커피잔 얼음이 다 녹아
앞날처럼 미지근해지면
갈 데 없이 나선 발걸음이 절룩인다
한여름 오후의 햇빛이 따갑다

아나방다리

맨발로 개울 건너기 힘든 계절이 오면
얼기설기 꿰맞춰 금방 무너질 듯
그렇지만 겨울 다 가고
이듬해 유월 오기 전까지 쌩쌩한,
전설처럼 물레방앗간 멀찌감치 있었던
그곳 모래톱 복판에 서 있던

등짐 진 소는
철벅이며 개울을 건너고
고삐 잡은 사내 다리 타고 건너는
어릴 적 익숙한 풍경이 그려지네

얼마나 지났을까
아나방다리 세월교로 바뀌어
동네 창고 한 귀퉁이에 버려진 것
트랙터 로터리에 매달아
번지 대용으로 쓰기도 했었지

출렁이는 탄력의 느낌이 좋아
경쾌하게 구르며 뛰어가던 소년의 다리는
이제는 몇 걸음 못 가 주저앉는
낡은 다리가 되었구려

이제야 허수아비를 알게 되다니

한 번도 배부르지 못했던
수백 마리 참새 떼가
부지런히 가을을 즐기고 있으니
백로白露가 더 빨리 다가올밖에

세상 모든 것
달리 주인이 정해진 게 없지만
봄부터 자라온 건
바람과 구름에 덧붙여
누군가의 호흡이 있어
저렇게 고개 숙이게 되었겠지

벼알이 영글기도 전에
흰 즙을 빨아대는
검은 타투의 가을이 찾아와

독수리연을 장대에 매달아 날리고
카바이드 폭음총을 쏘아대고

반짝이끈을 눈 아프게 늘이고
빈 깡통을 두드리는 것도
노상 그럴 수는 없으니
참새의 부리가 닳기를 기다릴밖에

소용없는 걸 알지만
이 논에서 저 논으로
깨금발 뛰듯 돌아다니며

안 한 것보단 낫겠지
이제는 맥고모자 날려버리고
알몸으로 두 팔 치켜드니
위로의 한숨으로 다가온 어둠이
이렇게 편안한 것을

좀 솔직해지자

평화를 주창함은
늘 힘없는 자의
살아남기 위한 호소 아니었던가
침략과 지배와 약탈 없이
그 누구도 번영할 순 없었다

삶을 이끌어준다는
지극히 높은 가르침도
전쟁과 학살로 미화되지 않았던가

물오리는 수리에게 잡아먹히고
수리는 제 영역을 더 넓히려다
사냥꾼의 화살에 꽂히고 만다

제 동족끼리 싸워 이기려고만 했지
저 멀리 대륙으로 바다 건너로
칼날 한번 휘두르지 못했지 않은가

달팽이 뿔 위에서
권력을 놓치지 않으려
머리채와 멱살을 잡고
삿대질과 고함을 칠 뿐이다

드넓은 천지를 품으려
울분의 가슴으로 숨 참으며
숫돌에 칼을 벼리는
옹색한 변명이라도 하고 싶다

낟알의 숨 2

싹트는
낟알의 숨소릴 들어보라
몸살의 통증에 신음하며
살이 썩어가는 고열 내뱉으며
몇 가닥 뿌리를 땅에 꽂고
잠겨 있던 눈을 틔운다
생존의 고통이 시작된다
삶의 긴 여정이 시작된다

뾰족이 싹이 터 오를 때
땅을 가르는
거친 숨소릴 들어보라
땅에 엎드려
달콤한 흙에 입술을 대고
돌덩이 헤쳐 오르며
싹터오는 교성 들어보라
이것이 낟알의 숨 아닌가

긴 역사의 한 점이거늘

누가 대통령이 되어도
어느 당이 집권을 해도
우리네 일상의 모습은 다르지 않고
밥 먹고 자식 기르며 사는 본새
별 차이 없다는 걸 알기까지
육십 년이 더 지났으니

그간 두 차례 징역 살고
수차례 유치장에 끌려가고
한때는 현상금 붙은 전국 수배령까지 당했는데
그리고 몇 차례 출마라는 것도 해보고 나서
이제야 알게 되었으니

어느덧 백발의 듬성한 머릿결이
봄바람에 하나둘 뽑혀 나가고
빈 들판 논둑에 앉아
산등성이 넘어가는 기러기 좇아가니
흐르는 강물 위로 구름만이 고요하구나

전설 — 개목고개 다녀와서

이름 없는 고개 없고
전설 없는 굴멍 없듯
전해져 내려오는 이야기와
다른 발자국들이 겹겹이 쌓이고
하찮은 목숨들이 모여
아무도 모르게 서서히 만들어진다

엄불려 살아간다는 것은
오랫동안 함께 이어온 슬픔
눈빛으로 살펴 확인하며
할아버지의 무덤을 잊지 않고
손자의 손자에게 남겨
다른 전설과 이름을 만들어 내는 것

남몰래 흘린 눈물 한 방울에도
얼어붙은 몸 감싸는 봄볕에도
분노를 삭이며 부른 노래에도
전설의 몫이 있어

환란과 궁핍, 침탈과 반란 속에서
우리네 소망을 만들어간다

워낭

내 생각과 판단이
잘못된 것은 아닐까

서로에게 삿대질하며
등 돌리는 사람들, 그 웃음
차마 뒤돌아볼 수 없다

가는 길 걸음 무서워
동무 삼아
옷깃에 워낭을 달았다

쉽게 어둠이 오고
난 무덤에서 일어나야겠다

일하기 싫은 어느 날

동트기 전 일어나
풀숲 이슬에 아랫도리 적시며
들판에 나가 일하기 시작하여
해 넘어 어둑해질 때까지
아픈 허리 다독이는데
일이란 게 어디 맘대로 되는가
하기 싫다고 뒷짐질 배짱도 없으니
타고난 팔자 탓하며
거동 못 할 병 걸려야
그때 가서나 일 놓게 된다며
삽자루 잡고 일할 기력 있을 때가
더 행복한 것이라며 토닥인다

자줏빛 옛 포구에서

겨우내 마른 풀잎에
새벽은 서리꽃을 피우고
안개 덮인 마을로
첫차 당고개 넘어와 지나간다
찾아오는 사람 없다

인기척에 아랑곳없는 새들
가까이 가도 저희들끼리 재잘대며
동트는 아침을 맞는다

강 건너 고속도로 늘 분주하다
꼬리를 물고 서울로 간다
십억 넘는 집은 싼 축에 든다는
권세와 돈이 모이는 곳
그곳을 떠나지 않았다면 어땠을까

억새밭 위로 기러기 날아온
강물 휘도는 자줏빛 옛 포구에서

올해도 정월 초하루를 맞는다

돌시인

생각의 깊이만큼 멀어지는 사람들
그들의 시선과 마주치기 싫어
움막에 틀어박힌 지 삼 년

저 자줏빛 노을을 보고도
눈물을 보이지 않고

꼽추의 형상으로 비쳐진
제 그림자 보고 분노할 줄 모르고

어둔 밤 풀벌레 소리에도
맥박의 변화 감지할 수 없으니

여지없이 돌시인이 분명하구나

떼지어 환각의 강을 건너는
물오리의 군무에서 탈출한
고독한 낙오자의 갈대밭에

그의 무덤이 있겠구나

탓할 역사는 없다

7세기 한반도
당이라는 외세를 끌어들여
백제를 멸망시킨 신라

백제는 망했고
신라는 통일을 이뤘다

누가 통일 세력이고
누가 반통일 세력인가

어느 규정, 어느 잣대도
기준이 될 수 없다
그저 사실만이 있을 뿐

백 년 뒤, 혹은 내일모레
전쟁으로 통일되든
아니면 다른 어떤 경우라도
옳고 그름 있을 수 없는

사실만이 남을 뿐

제2부

에이투뿔 진보

남과 북은
하나의 민족, 하나의 뿌리
자주의 깃발 아래
통일 조국 만들어 내자

언제까지 노예로 살 것인가
근로 대중의 총단결로
투쟁의 들불 일으켜
민중 해방 이루어 내자

철천지원수 왜놈들
독도 바다에 수장시키고
제국의 앞잡이 양키놈 침략자들
위대한 조국의 영토에서
깡그리 몰아내자

이렇게 시를 쓰고
이렇게 강의하고

이렇게 성명을 내면
나를 따라올 진보는 없다
붉은 깃발처럼 선명하다

나도 이렇게 쓸 줄 안다
나도 이렇게 외칠 줄 안다
와, 와 대단한 사상이다
탁월한 투사요 의인이다
최상급 에이투뿔A++ 진보다

칠흑의 산속에서

제8호 태풍 프란시스코가
일본 반도 규슈를 지나고 있습니다
오천만 국민들이여
저 태풍이 대한해협을 넘어오지 못하게
민족의 단결된 힘으로 막아냅시다
우렁차고 큰 소리로 기도하고
왜놈 박멸의 함성을 남쪽을 향해 외칩시다
북조선과 협력하는 것을 필수
협력에 반대하거나 의심을 품는 자는
반통일 세력으로 심판받아야 합니다
민족의 대동단결로
태풍을 막아내는 위대한 과업을
우리는 할 수 있습니다
모두 태풍 부는 쪽 일본 열도
그곳에 태풍이 그대로 멈추도록
입김을 세차게 불어주십시오
우리는 이깁니다
동참하지 않는 사람들은

친일파 민족 반역자 토착 왜구입니다
그들 때문에 태풍을 막아내지 못할지도 모릅니다
역사의 정의를 이루기 위해
한반도에서 영원히 축출합시다
태풍이 몰고 온 바람과 비를
몽창* 일본 열도에 퍼붓게 할 수도 있습니다
오천만 국민 여러분
본디 우리 국민은 왜놈들보다 월등 뛰어납니다
다시 죽창을 들어야 합니다
왜놈 전멸의 그날까지 멈춰서는 안됩니다
솔방울이 수류탄으로 변하듯
태풍도 입김 불어 막아내는
놀라운 전능이 시작되고 있습니다

이처럼 차트 상위권에 오른
국뽕의 노래가 칠흑의 산속에서
화려한 의상과 오케스트라 반주에 맞춰
들꽃과 산새에게 얼굴 붉히는

거짓과 위선의 메아리 되어
지금도 불려지고 있습니다

* 몽창: 모두의 방언.

패배자의 고백

생명과 평화 그리고
자유와 인권을 주창하면
혁명에 반하는
개량주의라 생각하여
혁명을 망치는 독이라 여겼다

이제 혁명이 떠난 그 자리에
탐욕과 권력이 요동치고
그런 자신을
아직도 역사의 정의라고 속이며
순결로 포장하여
자신과 시대를 능멸하고 있다

어느덧 뒤돌아보니
나의 친구들,
진보팔이 구더기 똥통에 빠져
아직도 허우적대며
위선의 구린내 풍기고 있구나

사욕으로 포장된 개혁을 내세워
그렇고 그런 사기 행각으로
구차한 명줄 이어가고 있구나

그대들,
열불 나게 빨아대는 권력의 빨대에
입 안이 다 헐었구나
알량한 퇴물이 된
지난 경력과 책 몇 권으로
세상을 농락하지 말지어다

가면

한때 노동이란 말을 끄집어내면
그것이 정의가 되고,
한때 민중이란 말만 써도
그것이 우월한 시민 의식이 되고,
반미라는 구호만 외치면
진보의 축 민족민주전선의 첨병이
저절로 되던 때가 있었다

의협과 순수의 열정이 지나고
어느 때부터인가
달리지 않고 제자리에 서서
민주화의 대장정에 마라톤 뛰는 척
호흡 가다듬고 품새를 잡는다

어쩌다 잡힌 권력의 손아귀 꼭 쥐고
권세와 그 떡고물에 혈안이 되어
이제는 입과 머리가 동떨어져
내뱉는 말과 감춘 속내가 다르더니

자신이 비판했던 파쇼의 적폐를
따라 하기 날 새는 줄 모르는구나
역사박물관에 안치된
사회주의 혁명의 완수와 지속을 위해
프롤레타리아 독재를 숭앙하더니
엇비슷 흉내 내기 시작했구나

이제 제발
구린내 나는 썩은 머리로
권세의 단맛에 중독되어
자신의 모습을 숨기는
헐떡거리는 가면을 벗어라

음모

잠깐 따스한 햇살이 내리기도 전에
씻은 듯 사라지는 산안개라도
그 속에서는 평생 지속될 것처럼 보이는
그런 권세가 주어지니
세상천지 모두가 내 것으로 여긴다
예쁜 여자도 내 것으로 여긴다

희롱과 추행이 드러나면
딸같이 귀여워서 그랬단다
그리고 적폐 세력의 음모란다
뇌물을 받아 들통이 나도
반민주 세력의 음모란다

권세의 기간이 오래될수록
진화를 거듭하는 음모는
정적을 제거하거나
내 편의 잘못을 밝히려는 자를 숙청하며
또 다른 음모를 생산해낸다

양심의 거리낌이 없다
왜냐하면 우리는 언제나 무슨 일이나
옳고 정당하며
우리를 제외한 모든 세력은
반민주 반역사 반통일의 적폐 세력이기
때문이라 여긴다
없는 사건을 몇몇이 짜고 만들어 내도
그 모략이 거짓으로 밝혀져도
조금도 반성이 없다
반성하기엔 조국과 민족을 위해
내 할 일이 너무 많기 때문이다

돌이켜보면
조선 후기 목숨 건 당파의 정쟁과
과거 중앙정보부에서 했던
음모의 학습을 터득했나 보다
과거 그들도 나라를 위해 그리한다고 여겼을 것이다

권세는 사람을 병들게 하기에 충분하다

동쪽 권력이든 서쪽 권력이든
잘못을 비판한
용기 있는 시민 세력도 사라졌다
떡고물 한 푼이라도 더 챙기려
꼬리를 흔들며
눈 감고 귀 막고 있다
비판은 곧 적폐 세력에게 도움이 되기 때문이란다
아울러 비판은 곧 권력의 찌개미라도
챙길 수 있는 기회를
스스로 포기해야 하기 때문이다

유신 독재 시절
불이익과 두려움 때문에
감히 비판하지 못했던 것과
무엇이 다르랴
지금은 이성과 판단력을 상실하고

집단 최면에 걸린
광분한 열성 지지자의 이지메가 두려워
진실을 외면하는 비겁한 지식인의 모습
예전과 그대로이다

반성과 성찰 없는
오만한 권력의 향연은
맛 들인 배부른 승냥이가 되어
세상을 희롱하는 재미에
끝 가는 줄 모르는구나

한 끗 차이

일천구백칠십, 팔십 년대
사회 변혁을 추구했던
이른바 NL과 PD는
조선 시대 동인과 서인의 차별보다 크고
NL 주사파와 비주사파는
사도 세자의 죽음을 바라본
시파와 벽파의 차이보다 작지 않다

그러나 그것들의 다름이란 것이
한 끗에 불과하여
낫과 망치로 만든 권력이든
벽보 붙이고 연설로 챙긴 권력이든
언제 어디서나
백성은 고단하게 하루하루 연명하는데

꿈결인 듯
산중 안개 속 헤매다
눈 떠보니

사람들은 하나둘 떠났고
들깨 심는 손주름은 깊어졌고
백발마저 듬성해졌네

개혁의 후예들

언론이 우리를 비판하면
언론 개혁해서 버르장머리 고치고
검찰이 감히 우리 살아 있는 권력에
칼을 들이대면
검찰 개혁으로 충견을 만들고
우리에게 감히 죄를 씌우는 법원은
사법 개혁으로 내 편 무죄, 네 편 유죄 만들어 내고
정치 개혁은 양당제 고착화
선거법 개정이 우선이고
그래서 교육 개혁 부동산 개혁
세제 개혁 군대 개혁 또 개혁 또 개혁
개혁이란 내 입맛에 맞게 고치는 것
그래도 국민이 좋다는데 어쩌겠나
과거 군부 독재 시절에도 그랬지

우리 편을 비판하는 것은
민주화를 저해하는 보수 반동,
권력 비리 밝혀지면 적폐 세력의 음모,

잘못된 대북 정책을 지적하면
반통일 분단 고착화 세력,
대미 대일 외교 지적질하면
사대주의 토착 왜구

상식으로 바라보고
어떤 권력이든 잘못은 비판받아야 하거늘
옳고 그름의 기준이
누구 편인가에 따라 달라진다면
공정은 사라진 것,
개혁이란 장기 집권의 걸림돌을 없애는 것
내 피는 깨끗하므로
그 피로 더러운 피를 정화시키겠다는
그래서 뇌물 받은 것도
개혁을 위해 그리한 것이고
부정 비리 불법도 개혁을 위해
어쩔 수 없는 것
혁명 순결주의 후예들의 개혁

또 개혁 또 개혁
그래도 국민이 좋다는데 어쩌겠나
과거 군부 독재 시절에도 그랬지

팬덤

그렇다
너희는 떼거지로 공격할 표적이
늘 만들어져 있어야 하고
피에 굶주린 늑대들마냥
늘 으르릉대야 직성이 풀리는
썩은 고기라도 물어뜯어야 하는 이빨로
광기 어린 충혈된 눈으로
표적을 찾아 진영 속을 헤맨다

'양념'도 듬뿍 묻혀가면서
잘근잘근 씹어대면서
전제적 흐름에 맞춰
살인의 굿판에 희열하는

옳고 그름에 대한 판단은 필요 없다
왜냐하면 언제나 옳기 때문이다

국뽕

히이야,
내 치부를 감추기 위해서는
국뽕만 한 게 없지
적이 제때 나타나야 하고
안 나타나면 만들면 되고
싸워 이겨야 할 만장 높이 내걸고
눈물과 함성과 혈서가 등장하고
귀 딱지 앉도록 반복해서 설파하여
재산과 생명 버리기에 아깝지 않을
끓는 피 식지 않도록 하는 것

히이야, 참으로 대단하다
우리 국민 정말 대단하다
전국 주요 도시 광장마다
사람의 물결 점점 높아질수록
뒷짐 진 손바닥에 그려지는 암호
저들끼리 통하는 감춰진 진실
국민은 여전히 뽕 맞아 흥분한다

아니, 께름직하긴 한데
왠지 따라야 할 것 같고
그래야 무언가 조국을 위해
보람 있는 일하는 것 같고
사람들로부터 뒤처지지 않는 듯한

히이야,
알면서도 속고
속으면서 광분하는
쓸개 빠진 허우대 국, 뽕

반미

네가
미국을 반대하는 이유가

신미년 강화도 포구 소나무에 쏘아댄
포탄 껍질 속 제국주의 찌꺼기와
테트라 가스라 밀약으로
조선을 일제의 식민지화 하는 것을 용인했고
해방 후 강대국에 의한 신탁 통치하려 했고
패권 경찰국가라는 깡패 폭력으로
신자유주의 지배력을 강화하고
분단을 만든 장본인이고
수십 년 군부 독재를 수렴청정하고
민족의 자주 통일을 저해하고 있다는
그런 증오와 혐오였다면

묻고 싶다
6·25는 민족 해방 전쟁인가
6·25는 프롤레타리아 혁명 전쟁인가

다시 묻고 싶다
6·25 때 인민공화국으로 통일되어 살아가길
진실로 바라고 있는가
이것이 그대들이 바라는 통일 조국인가

반미라는 구호는
이제 더 이상 도덕의 순결성을 보장해주지 않고
진보의 첨단 의식이라는 자족의 위안도 못 되며
이미 박물관에 안치된 미라가 부활하길 바라는
미신에 빠진 광신도의 기도일 뿐이며
네 권력의 항구적 유지를 위해
대중을 호도하기 위한 전술이 된 지 오래되었다

반미,
이 또한 진영의 사유물이 되었는가
친미처럼

뽀요이스

참 많이도 변했구려
삼 센티 안 되는 짧은 머리에
교련복 입은 고등학생들이
나무로 깎아 만든 총을 메고
운동장 먼지 날리던 때의 북쪽이
뽀, 라는 상큼한 말로 바뀌었으니

그사이 번성과 쇠락이 오고 가고
새 국가도 많이 생겨났고
굴뚝과 두엄탕과 측간의 냄새도 변했고
햇빛과 바람도 달라졌다

식민 시대엔 독립
분단 시대엔 통일
이 담론 속 똥통엔 구더기들이
대를 이어 번성하며
백 년을 훌쩍 뛰어가는구나

변장한 얼굴 지우고
거추장스런 옷가지 벗어내어
없는 세상, 없는 하나님, 없는 태양
민족의 허울까지 없앤 후
신동엽의 초례청 아직 유효하다면
합환주 나눌 수 있으련만

참 많이도 변했구려
북쪽 찬양이 진보의 표식이 되고
통일의 전위 전사가 되는
감성팔이와 확신범 그리고 생계형까지
어쩌다 그런 세상으로 변했구려

잃어버린 염치廉恥

언제부터였을까
아마도
그대들이 세상을 가졌다는
환상에 젖기 시작할 때이지 싶다
그대들은 집권의 연장에 눈멀어
자기 편 잘못을 인정하길 거부했다
이른바 반역사 세력에게 나라를 맡길 수 없다는
독선의 작두 위에서
언월도 휘두르는 선무당이 되었다
세상을 다스리기 위해선
부끄러움 따위가 뭐 대수겠는가라며

세상의 깊이는
수만 길 높고 깊은데
한 뼘으로 가리려 한다

오장육부 중 어느 하나를 도려냈거나
뇌의 한 부분을 교정했거나

무서운 중독에 빠져
허우적대는 그대들 모습

세상은 쉽게 변하지 않는다
내가
우리가
세상을 바꿀 수 있다는 착각이
세상을 더욱 어지럽게 할 뿐이다
세상은 강물과 같아서 저절로 흘러간다
그대들, 너무 걱정하지 않아도 된다
손아귀에 쥔 물 한 줌이
지금의 너의 권세이다

사모펀드

내가 아는 거라곤
남들보다 일찍 일어나 부지런히 일해서
쓰고 싶은 거 안 쓰고
하고 싶은 거 안 하고
다달이 조금씩 모아
기천만 원 목돈 장만하면
온 세상이 내 것 같고
밥숟가락 뜬 손에 힘이 생겨나고
그걸로 살림 장만하는 게
전부인데

펀드, 더구나 사모펀드
뭔 말인지는 모르나
우선 몸이 쫄아들고 눈앞이 먹먹해지고
괜히 주눅 들어 씨발 소리부터 나오는데
더구나 청와대 권력 서열
다섯 손가락 안에 드는 사람들이
재직 시에 사모펀드 했단 말 들으니

합법 아니라 그 할애비라도
구린내 나는 것 같고
무슨 떼까마귀 지껄이는 소린지 모르겠으나
무언가 대단한 것 같기도 하여

나의 무식과 일천한 경험을 탓하며
가붕개* 노는 개울은 분명 아닌데
저들의 세상은 어떠한지 궁금해지네
니기미 기분 엿 같네

* 가붕개: 가재, 붕어, 개구리.

누군가에게 세월호는

처음엔 미안했다
민심이 기울어졌을 때
고마웠다
광화문에서 서초동으로 이사한 후
잊었다

놀라운 능력은
현해탄을 넘어오는 고래 떼와
두만강 넘어 돌고 돌아 찾아오는 기러기 떼와
휴전선 뚫고 내려오는 멧돼지 가족과
나성에서 태평양을 횡단하여
반도에 상륙한 군함의 포성과
판문점에서의 영화 촬영과
코로나바이러스와 산불의 유혹까지
권력의 활용 가치로 환속할 수 있는
지혜와 하늘의 보살핌이었다
세월호까지도
그 죽음까지도

부두에 배를 끌어 올리고
정권이 바뀌었는데도
왜 침몰했는지 아직도 모른단다
밝혀지지 않는 것일까
밝힐 수 없는 것일까

뭍으로 나오지 못하고
하늘로 오르지 못하고
어둠의 바닷속을 떠도는 영혼
울부짖는 신원의 외침 들리지 않는가

진실을 밝히라고
광장에서 단식까지 했지 않은가

이제 잊혀져 가고 있다
탄핵의 교훈만 남기고
원인도 모른 채

잊혀져 가고 있다

잊지 말자고 다짐하며
목청 높이 진실 규명 외쳤던 사람들
왜 침묵하고 있는가
내 편이 권력을 잡았으면
진실을 밝히지 않아도 괜찮은가

제발 대답 좀 해다오

제3부

나는

이곳 산자락 아래
세상에서 두 걸음 떨어져
저들 미쳐 돌아가는 모습
희미한 풍광만 언뜻 보여
헛된 생각 버리기 쉬운데

숨 막히는 울분을 줄이고
한숨으로 지난 일 토해내고
사지의 통증 견딜 수 있고
잃어버린 꿈을 잊을 수 있어
그나마 명줄 연명하기 다행인데

갖은 욕설이 떠다니고
부풀린 풍문이 덧씌워지고
권세와 모략에 시인도 한몫하는
자신을 얼마나 잘 속이느냐가 관건인
덕지덕지 꿰매어진 세상

별것도 아닌데
뭐 그리 힘들까

신동엽의 기타

저 들판 너머로
구름 태우며 소리치는
붉은 노을 바라보았을
여전히 애틋한 모습
그의 하굿둑에 서 있다

그때나 지금이나
태어난 목숨 부지하려고
모 심었을 백성의 들에
강물은 권세를 품고
변함없이 흐른다

툇마루에 앉아
시와 사랑과 혁명을 노래했을
그가 붙잡고 있는 기타에
한 조각 가슴을 떼어내
C코드의 화음을 듣는다

네 눈빛을 알고 있다

산길 걷다 마주친
겨울이 슬픈
산짐승의 눈빛이 싫다
행여 해코지당하지 않을까
걸음마다 뒤돌아보는
두려운 눈빛이 싫다
배타적 영역에서 쫓겨나
생존의 절박함에 찌든
처절한 눈빛이 싫다

언젠가 떠나고 말 거라는
순리를 모를 리 없지만
서럽고 아쉬운 오늘이 있기에
아픔 가시지 않는
지금의 눈동자가 멈추지 말기를
어두워지는 하늘에 빈다

하여 금방 떠나더라도

사랑의 자취만큼은
걸어온 산길 끝나기 전
네 가슴에 남기고 싶다

입하立夏의 보리밭

보리 이삭 패어 오르니
어김없이 제비 돌아와
깜부기 날리도록
날갯짓 파랑에 봄이 달아난다

놀라움은
보리밭 고랑 줄달음치는
장끼의 잰걸음
해는 서쪽 산으로 기울어져 가는데
붉은 벼슬 위로 큰 소리 짖어대니
보리 이삭이 푸르게 몸을 떤다

더할 나위 없이 좋은
숨김의 보리밭에
오래오래 봄을 감추고
사랑도 감출 수 있으련만

슬퍼할 겨를도 없이 봄은 벌리 가 있고

들녘 어느 한 군데 머물 자리 없어
맹탕으로 헛웃음 한번
그새 강바람 따라 떠나려 하는가

이제 한숨을 멈춰라

방골 숭숭 구녁 나도록
겨우내 울궈내 먹는 것마냥
스무 살 때 징역 한두 번 산 것
화염병, 짱돌 몇 번 던진 것
평생 울궈 먹으며 진보 행세한다

민중이 어쩌구
반미가 살길이라는 둥
거기다 한술 더 떠
북조선이 어쩌구 하면서
입만 나불거리며
가짜 진보 행세가 몸에 익었구나
너덜너덜 지저분하다

정의를 가장하여 권력을 탐하는
잇속의 지식인들
그들 농간에 미쳐 날뛰는 추종자들
슬퍼할 겨를 없이

무언가 내 목을 찌른다
저들과 한패였을 수도 있었으나
그렇지 않음에 감사한다

시인들이여
진영의 울타리에 갇혀
비와 바람과 햇빛의 영혼을
병들게 하지 말지어다
그대 영혼의 날개를
맘껏 펼쳐 광활한 창공으로
힘차게 날아올라야 하지 않겠는가

봄비 오는 휴일
눈물을 멈추고
뜨끈한 구들에 허리 지지며
오수의 안락함에 빠져든다

이제 한숨을 멈춰라

지리산 친구

친구에게 나이를 물었다
나와 같은 줄 알면서도
소나무에게 들으라고 물었다
내 나이가 생각나지 않아서

스무 살에 만나
세상의 숨겨진 진실을 알아 갈 즈음
서로의 의지를 확인하며
들뜬 가슴도 채워주고
같은 곳을 바라보며 달려왔다

지리산 소나무 그늘 아래
평상에 마주 앉아
살아온 값을 매길 수 없고
바라볼 앞날도 말라버린 기대라서
세상을 원망하기에 초라한 모습으로
탄식은 비구름 되어 산을 넘는다

어디쯤 왔을까
이제 돌아다볼 곳이 없다
까마득히 멀어 아득하기만 하다
함께 밟아온 나이의 족적으로 보아
그렇게 헤치고 돌고 돌아
다시 그 자리에 섰는가

소나기 지나간 산허리
세상을 바꿀 믿음과 꿈처럼
밑에서부터 피어오르는 그윽한 안개
손 흔들며 떠나온다

지리산 담고 사는 친구야
이제는 처음 시작했던
스무 살 그곳으로 돌아가긴
너무 오래 지나왔지 않을까

잃어버린 아포리즘

구름에 가리운 밤하늘
섬돌에 앉아 올려다본들
가슴 데워줄 별빛이 없구나
때론 몇 마디 단어가
뜨거운 돌덩이로 남아
추운 겨울을 녹여주기도 하는데
아포리즘도 퇴색하는가

선한 권력이란 없다

독설과 오만, 분열과 대립
그리고 망각과 타락은
권력의 속성인가

부패하지 않는 권력이란 없다

한겨울 한밤중 추위에 떨며
지나온 발자취 흩어져 날아가는

기억의 파편들 바라보며
힘없이 움켜쥔 주먹으로
고개를 떨군다

대하천간 야와팔척*

쥐와 사람이 함께 사는
귀여운 나의 집
들고양이도 엊그제 헛간에서
새끼를 낳았다

몇 놈이 오밤중에 뜀박질 시작한다
저희들끼리 다투는 비명 소리
서까래 뜯기는 이빨 가는 소리
잠결에 놀라 깨어
눈 쌓인 들창문 바라본다

쥐 없는 양옥집에서 사는 게
젊었던 시절 한때의 소원이었던
우리 동네 옹기종기 모여 사는
무중굴댁 넘말댁 갱골댁 시대동댁

오늘도
윗목에 놓아둔 고구마 갉아먹다

후다닥 벼름박 타고 올라가
천장 무너질세라
쥐들의 경주가 펼쳐진다

강남에 빌딩을 갖는 꿈부터
쥐 소리 없는 그까짓 아파트까지
잘못 아니라는 꿈 이루고자
내 몫 챙기는 개혁의 깃발
동서남북 셀 수 없이 나부끼는데

쥐 고양이와 함께 사는
그런 개혁 없는 나의 집 마냥 좋다
가붕개의 허드레 집 외려 편안타

* 大廈千間 夜臥八尺: 천 간이나 되는 큰 집에 살아도 밤에 눕는 것을 여덟 자.

부엉이

보름달이 구름에 가린 밤이었지
며칠 내린 가을 장맛비에
도랑물은 지겹지 않은 선율로
지치지 않고 기도처럼 중얼거리고 있었지
그때 그가 우는 소리가 들려왔어
비록 귀뚜라미 사방에서 소리 내 울고 있어
그의 고독한 울음은 희미하게 들려왔지만
난 대번 알아들을 수 있었지
그동안 밤마다 얼마나 찾았었는지
이태 전에는 내 방문 앞까지 왔었는데
그때는 개구리가 요란스러웠지
작년에는 듣지도 보지도 못했거든
아마 내 소홀로 그냥 지나쳤는지도 모르지
그가 살아 있다는 확인만으로도
머리카락이 곤두서더군
구름 사이로 잠깐 달빛이 비치게 되니
그의 모습이 더욱 보고 싶어진다
울음소리는 뒷산 굴멍을 타고 내려와

내 떨리는 심장에 기다림의 안식을 남기고
이제 남은 한 해의 어둠을 헤매지 않고
내년 이맘때를 기다릴 수 있겠구나
여보게, 고맙네
그만 그치게

친구에게

어여 오시게나,
산과 들이 꽃 천지
봄바람까지 불어오니
목젖 열고 큰 소리로
같이 노래 부르세

저기 저 호반새 좀 보시게
짝 놓치지 않으려
고우꾸 고우꾸 꾸꾸
굴멍 울리도록 노래하네
앞산이 부르니
뒷산에게 달려가네

손과 발이 덩더쿵
너울춤 추며
내 건너 고개 넘어
그대가 보내온
향기 쫓아 달려가면

눈 감고도
백 리는 쉬 가겠네

어여 오시게나,
탁주 한 사발 들이키고
맞잡은 손으로
무지개구름 속 날아보세

바람 불어 꽃잎 날리니
머리 위 날아와 앉는 것은
그대가 보내온 약속이고
탁주잔 위 꽃잎은
그대 떠난 뒤의 아쉬움인가

어여 오시게나,
내일 꽃 지고 향기 멀어지면
백발의 굽은 허리로
한 종발의 눈물

누군들 내칠 수 있으랴

꽃 지면 또 한 해가 가니
손잡고 노래할 봄
몇 번이나 맞을 수 있겠는가

제4부

그래, 맞아 1

니들이 뭘 알어
니까짓 것들은 몰라
얼마나 예쁜지

때론 눈물이지만
꽉 들어찬 행복이지
니들이 다 뺏어간 뒤 찾아온
뭐 그런 아름다움이지

니들은 몰라
암, 모르고 말고

그래, 맞아 2

내 이래 봬도
광한루 오작교를
새잎 돋는 따뜻한 봄날
연인과 손잡고 건넌
그런 사람이거늘

비록 견마 잡힐 권세는 없어도
사랑 담을 품은 넓어

세상이 날 보고 웃으면
그냥 허허 웃지요

그래, 맞아 3

동트기 전
청보리와 나눈 얘기
마저 끝맺지 못하고
다음을 약속하고 떠난다

올해 못하면 내년도 있겠지

그러다 이번 생애 아니면
그러면 또 어떠랴

사랑인데

고백

그대의 선택과 판단이
혼란한 취기에 흔들린 게 아니라고
지난밤 내내 푸른 비 내린
툇마루 아침 햇살에게 말했지

하늘 떠가는 구름의 조각 아닌
호수 덮은 물안개 유혹도 아닌
품에서 새싹 오르는 영혼이 되어
기쁨의 대밭 건너 들로 퍼져나가고

맹세 없이 손 놓치지 않는
위로와 설레임으로 등 토닥이며
노을빛 기다림의 부푼 몸으로
늙어가는 세월과 함께했지

북한강 달빛

살갗을 뚫고 솟아나는
욕정을 견디다 못해
강물에 몸을 던져
수십 길 물속에서 밤새워 빛을 뿜다가
새벽이슬로 사라지는
정월의 북한강 달빛

비 오는 가을밤의 편지

그대,
마음이 아픈가요
가슴속 멍울이 지워지지 않는지요
지나온 발자취에 슬픔이 솟아나
안타까움에 눈 감아도
눈물이 지워지지 않는지요

내 가진 것이 무엇인가
가진 거라곤
울화를 삭이는 노을빛뿐인데

그대,
가슴속 소용돌이치는 회한에 숨 막혀오면
하늘에 대고 소릴 질러 보시게
난 아직 이렇게 살아 있다고

세월의 늙음에
서릿발 밟아 부서지는 소리

뼈 마디마디 아픔으로 다가오면
사랑하는 사람의 손길을 기억하세요

그대,
이 세상 내로라하는 사람의 허울에
가증스런 조소를 보내며
푸른 나뭇잎이 낙엽 되는 굴레에
몸을 맡기면 어떠할지요
밝은 불꽃 솟아나는 사랑과 함께

어디쯤 왔을까

어디쯤 왔을까
멈춰 선 이곳이 어디쯤일까
보잘것없이
하찮은 미물의 꿈틀거림으로
순간마다
최선을 다했다고 하지만
돌아서면
허황한 몸짓이었거늘

붉은 노을 바라보며
눈물을 훔치는 것도,
들꽃의 향기 찾으려고
뛰어다니는 것도,
새벽이슬 적시며
달빛에 취하는 것도,
숨겨진 전설의 비밀을
노래하는 것도,

잠시 그뿐
돌아서면
허황한 몸짓이었거늘
어디쯤 왔을까
멈춰 선 이곳이 어디쯤일까

새벽안개

소를 부리던 이천 년 지나
경운가 몰던 이십 년 잠깐 스쳐 가고
이젠 트랙터 만능 전성기인데

굽은 손가락 움켜쥔 똑같은 세월에
아궁이 사라졌으나 온돌은 그대로이듯
이십사절기의 순환은 다르지 않고
쌀밥 먹는 입 또한 변함없어

기겁하며 바뀐 모습 돌아보면
광년의 별빛도 별 게 아니라서
대를 이어 태어나고 사라지는
햇빛과 어둠 담은 대지의 평온에
권세의 치졸하고 추악한 입김은
한 점 새벽안개와 무엇이 다르랴

쌀 한 톨의 무게도 어림없는
속 빈 허울 벗겨내면

벼꽃의 어리숙한 웃음소리 묻어온
신선한 바람 맞을 수 있는데

푸념

그래 그래
참 많이 지나왔지
뾰족이 내세울 게 없어
그렇다고 허송세월은 아니었는데
슬퍼할 겨를 없이
백발만 늘었네

그래 그래
노래를 참 좋아했지
한때 서대문 빵끼통에서 날렸었지
덩달아 시 흉내도 내보고

사람들이 내버린
농사를 붙잡고
근로 대중의 땀이 어떻고 저떻고
변혁의 시작은 그래야 한다고
우왕좌왕하다 말았지

그런데 하루하루 자꾸만
세상이 싫어지는 거야
이길 수 없었거든
진작 패배를 받아들였지만
못난 아쉬움은 어쩔 수 없더군

그래 그래
마무리라도 깔끔해야지
하잘것없는 세월
슬쩍 고개 한번 드니
어느새 어둠이 깊어 가네

강둑에 서서

마른 억새 달빛 머금고
간간이 부는 강바람에 흔들리며
겨울에도 살아 있음을 가르쳐준다

찬바람 깊이 숨 쉬어
흐려진 가슴 일깨워 토해내니
어지러운 세상 품고 흘러가는
강물의 달빛이 아름답구나

그렇지 않은 시대 있었던가
지금의 이 모습이
수천 년 이어온 사람 사는 세상인데
무에 새삼스럽게 한숨짓는가

전쟁과 역병
권세를 향한 암투와 모략
백성의 눈물과 탄식
그런 긴 흐름의 한 점 물방울로

저 강물의 어느 한군데 박혀 있는데

여태까지 그래왔듯이
표정 없이 그렇게 흘러갈 것인데
한 바람 지나고 다른 바람 불어오고
쉼 없이 강물은 흘러간다

축복

종일토록 봄비 내리더니
자고 일어난 뒷산에
바라볼수록 민망한 서리꽃이
나무마다 그득하다

새벽에 떠나는
잠 못 이룬 눈물도
뒤돌아본 산의 서리꽃 되어
내딛는 발길 재촉하누나

법공장

논어법, 명심보감법, 채근담법
마음 꿰뚫어 보는 관심법도 만들 수 있다
달나라법은 이미 특출난 게 아니다
법 만드는 공장에서
과반수 냄비에 넣고 돌리면 된다

선출을 통한 국민의 뜻이기에
못할 게 무에 있으랴
기고만장한 오만함의 삿대질
무식해서 용감한 부나방 떼
법은 지키자고 만드는 게 아니라
맘에 안 드는 심기 불편함을 해소하려 만드는 것
허허, 이게 알짜배기 민주라네

제5부

산

지게에 얹혀진 대소쿠리 가득
염장이 된 울화를
평생의 새경으로 짊어지고
고개 너머 산으로 간다

모지리들

덩치는 더 큰 게
언제나 쫓기며
까마귀는 노상 까치한테 진다
소설 지나 더욱 푸르러진
보리밭 위에서 또 싸움질
번번이 도망치기 바쁘다
힘의 세기나 싸움의 기술이 아니다
습속이 그렇다
못난 것 아니 어쩔 수 없는 것
십수 마리 까마귀 떼가
두 마리 까치에 도망친다
모지리들
우리네 모습과 비슷하네

내 얼굴 바라보기가 두렵다

망망望望

어느새 입동이 지나
아침 해가 많이 야위었네
마른 잎은 지난여름의 기억을 찾아
는개 속에서 귀 기울인다

언젠가는 기적 소리 들려오겠지

불사佛事

어젯밤 꿈에
아버지를 보았다
손잡고 걸었다
행복했다

권세

내가 지구를 돌리고 있다
죽은 자와 나눈 말을 전한다
하며 솜털의 무게와 겨눠 본다

만남을 주저하며

봄 오면 꽃을 심고
물오르기 전 나무 심고
외로움 감싸줄 인연인지라
올해도 어김없이 몇 개 만들었으나
어느 때 되면
꽃도 나무도 외면하고 떠날 수밖에

하물며 사람에 이르러서야
더 말해 무엇하리
여태 육십 평생 가져온 인연
보듬고 가기도 벅찬데
새롭게 사람 인연 만드는 게 겁나
누구라도 발걸음 떼기가 어렵다오

낮잠

어느 토요일 오후
신나게 낮잠을 즐겼다
잠꼬대도 한 것 같고
누군가의 과녁이 되기도 했고
야릇한 키스도 했다

해 넘어가 어둑어둑할 때 일어나니
입안이 육모초 먹은 것처럼 쓰다

뜰에 나서니
아직도 부슬비 내리고
지는 배롱나무꽃에 큰 집 지었던
거미가 없어졌다

낮잠 자는 나 대신
일 많은 밭에 갔는가

오래전 나는 보았다

사람들이 그를 칭송할 때
나는 그로부터 멀어져 갔다

사람들이 그의 죽음을 통곡할 때
나는 눈물을 보이지 않았다

사람들이 그의 업적을 찬미할 때
나는 빛에 가린 그림자를 살폈다

사람들이 그의 생각을 받들 때
나는 생각 뒤에 숨은 가식을 읽었다

십 년도 훨씬 지나
이제야 보이는 아지랑이 허상들,

그와 후예들의 감춰진 모습 드러나니
시대를 진흙 빛으로 물들이고 있구나

다짐

세상 걱정
나라 걱정
너무 많이 오래 했나 보다
습관처럼

그건 내 몫이 아닌데
그건
내 정신 줄로는 감당 안 되는
하찮은 것인데

이제야 보이지
구름 비추는 달빛,
이제야 들리지
풀잎 흔들며 다가오는
사랑 노래

수선화에게

말라가는 수선화 꽃잎
고개 드는 데 힘에 부쳐
제 솟아난 땅으로 내리고

따사한 봄볕에
황금빛 향기 뿜어대던
살얼음 밤바람 시원했던
엊그제 기억이 또렷한데

곁에 머물던 달빛도 저물고
꽃잎에 이슬 찾아온 날도
아침 새소리 함께 할 날도
그대 발자국 소리 들을 날도
손꼽을 만큼 남았는데

꽃 피우던 시절 지나니
힘겹게 고개를 더욱 내리고

여태 고집스레 지켜온 것,

고개 들어 교만하지 않고

고개 숙여 비굴하지 않았던 것

그냥, 그대로

강물 위 안개
때 되면 사라진다는 것
눈 감아도 알 수 있을 테지

장작더미 화톳불
화염의 꽃 태우고 나면
따뜻한 온기의 재만 남겠지

맞잡은 손
숨 막히던 그리움도
가슴에 멍울로 남겠지

왠지 지난겨울
뜰에 심겨진 주목과 구상나무가
유난히 푸르렀었지

대장부론

뜻을 얻지 못했으니
홀로 그 도를 행해야 할 텐데

그 도란 것이
땅의 울음인지
새들의 집인지
곡식의 푸르름인지
그대의 사랑인지
알 수 없어

활자 뒤에 가리워져
내 머리에는 없고
헤매는 낙엽에 있기라도 하면
바람 좇아 주우려고 할 텐데

혹여 엇비스듬히 안다 해도
따를 심성이 모자라니
대장부는 포기하련다

| 발문 |

엇배기 농사꾼의 찬란한 꿈

김승환(문학평론가, 전 충북대 교수)

1. 미네르바의 부엉이가 나는 밤

오랜 시간이 흘러 시인의 창가에 황혼이 찾아왔다. 황혼 지는 들녘에 서 있는 그는 창공에 별이 반짝이는 날이면 트럼펫을 하늘로 향한 채 '밤하늘의 트럼펫'을 연주하고, 황금 가을 들녘에 석양이 붉게 지는 날이면 트럼펫을 태양을 향한 채 '석양'을 구슬프게 불어대던 시인 신언관이었다. 그리고 그는 또한 엇배기 농사꾼을 자처하면서 청주淸州 오창 들을 일구는 머리 희끗한 시인이었다. 그의 창은 들과 산을 향해 있었고, 봄이면 파란 잎 가을이면 황금들을 이루는 세상으로 난 길이었다. 그의 창에 황혼이 지자 미네르바의 부엉이가 날기 시작했다.

잠자던 미네르바Minerva의 부엉이Athene noctua가 날개를 펴고 날기 시작하자 신기한 일이 벌어졌다. 신언관의 존재사存在史 68년의 시간이 장렬하게 펼쳐지는 것이 아닌가? 그러자 깨어 있었다고, 누구보다도 치열하게 살았다고 자부하던 존재 신언관은 소스라치게 놀랐다. 그는 잠자고 있었던 것이다. 창가 미네르바의 부엉이는, 잠자던 그를 깨운 아테나 지혜의 여신이었다. 황혼은, 신언관 개인사에서는 존재론적 황혼일 수도 있고 민족사에서는 민주주의를 완성한 시대적 황혼일 수도 있다. 인생의 황혼이 지고 미네르바의 부엉이가 날개를 펴자, 그의 잠자던 지혜가 서서히 깨어나기 시작했다. 그러자 시인은 이렇게 썼다.

> 보름달이 구름에 가린 밤이었지
> 며칠 내린 가을 장맛비에
> 도랑물은 지겹지 않은 선율로
> 지치지 않고 기도처럼 중얼거리고 있었지
> 그때 그가 우는 소리가 들려왔어
> 비록 귀뚜라미 사방에서 소리 내 울고 있어
> 그의 고독한 울음은 희미하게 들려왔지만
> 난 대번 알아들을 수 있었지
>
> —「부엉이」 중에서

「부엉이」에서 시인이 강조하는 것은 자기 존재의 밤이다.

그 밤은 보름달이 구름에 가린 밤, 도랑물의 선율이 중얼거리는 밤, 귀뚜라미 사방에서 우는 밤, 고독한 부엉이 고독하게 우는 밤이다. 마침내 황혼도 지나 부엉이가 날아오르는 그 밤이 오자 그는 깨어났다. 원래 미네르바의 부엉이는 다양한 사건이 진행되는 대낮에는 그 사건의 진실을 알 수 없고, 모든 사건이 끝나야만 그 사건의 진실을 알 수 있다는 아포리아aporia다. 그러니까 역사의 진실을 알 수 있는 것은 그 역사가 끝난 이후다. 헤겔이 『법철학*Grundlinien der Philosophie des Rechts*』(1820)에서 말한 원문은 '미네르바의 부엉이/올빼미는 황혼이 저물어야 그 날개를 편다Die Eule der Minerva beginnt erst mit der einbrechenden Dämmerung ihren Flug.'라고 적혀 있다. 황혼이 되어 미네르바의 부엉이가 날개를 펴고 날아올라야만 그때 비로소 가려져 있던 역사의 진실이 드러난다. 세계사나 민족사도 그렇지만 개인사도 그렇다. 그러므로 「부엉이」의 고독한 울음은 시인 신언관을 깨우는 계시적 울음이었던 것이다.

시인 신언관은 시 「부엉이」에서 헤겔 역사철학의 빛나는 아포리아, 미네르바의 부엉이를 고독한 울음으로 환유하여 보여주었다. 시인은 황혼이 지기 전의 대낮에 가슴을 태워 정의를 세우던 눈물 많은 사람이었다. 비록 신언관이 날선 해방을 외쳤더라도 그것은 더디 오는 미네르바의 부엉이를 불러내는 외침이었을 것이다. 시인이 '난 대번 알아들을 수 있었지'라고 부엉이를 맞았던 것은, 이미 오래전에 신언관을 불러낸 황혼의 부엉이 때문이었을 것이다. 그렇다면 신언관의 대낮과 신언관의 밤은 어떻게 다를까?

20, 30대 청년 신언관은 민중 운동을 조직하고 거리에서 투쟁하던 투사였다. 신언관은 정의로운 민족사를 위하여 자기를 정립했다. 그것이 민중 해방, 민족 통일, 민주주의를 통하여 민족사적 개인이 되던 신언관의 대낮이었다. 헤겔의 역사철학에 의하면, 역사가 발전하는 선두에서 역사를 앞서 나가는 위인이 있다. 시대정신을 일깨우는 그는 대낮의 문제적 인물이다. 신언관이 민중 해방의 투사 신언관으로 자기 정립하는 과정을 헤겔 철학의 개념으로 분석하면 다음과 같다.

A. 즉자An Sich, 卽自 신언관: 정립, 의식 안의 나(감각으로 정립한 자기), 정립된 자기의식, 본래적 자기, 주관, 주관적 자기, 자아, 특수한 주체, 자연적 상태의 자기.

B. 대자Für Sich, 對自 신언관: 반정립, 의식 안의 너(지성으로 정립한 자기), 반정립된 자기의식, 비본래적 자기, 객관, 객관적 자기, 비아, 보편적 객체, 사회적 상태의 자기.

C. 즉자대자An-und=Für=Sich, 卽自對自 신언관: 종합, 의식 안의 우리(이성으로 정립한 자기), 종합 통일된 자기의식, 절대, 본질적 자기, 주객관적 자기, 자아 비아, 통합된 주체객

체, 통합된 상태의 자기.[1]

'A. 즉자 신언관'은 20세까지의 신언관으로 자연적 상태의 주관적 자기였다. 그런 신언관이 'B. 대자 신언관'으로 바뀐 것은 의식이 눈뜨던 청년 학생 시절이었다. 본래적 자기가 민족의 현실에 눈뜨면서 과거의 자기를 부정하고 사회적 자기로 거듭났다. 대낮의 자기 부정은 고통의 통과의례를 거쳐야 한다.

자기 부정Self-denial, 自己否定은 자기가 자기를 부정하는 것이다. 자기 부정은 대체로 의식 안에서 일어나는 자기 부정이지만, 말이나 행동과 같은 의식 외적 자기 부정도 있다. 의식 내의 자기 부정은 정신적, 감정적, 심리적 고뇌와 불안을 야기하면서 의식 외의 자기 부정으로 전화한다. 자기 부정이 심각해지면 극단적 자기 부정인 자살에 이르거나, 세상과 절연絶緣하는 등 존재의 위기가 심화한다. 하지만 사람들은 자기를 성찰하고 반성하는 과정에서 자기 부정을 하게 되며 부정의 부정을 통하여 자기 긍정으로 역전시킨다. 헤겔 철학에서 자기 부정은 진실한 지知와 진정한 자유를 향한 의식의 전개 과정이다. 자기 부정은 자기 정립Selbstsetzung을 전제하고 정립된 자기를 부정하는 자기 반정립Anti-

• • •

1. 즉자, 대자, 즉자대자에 함의된 개념을 정리하면 이런 체계가 되겠지만, 이 개념들을 도식적으로 규정할 수는 없다.

Selbstsetzung이다. 자기 반정립은 헤겔 철학에서 정립한 자기가 자기를 외화하고 대상화하면서 또 다른 자기를 정립하는 것이다. 의식 속에서 진행되는 자기의 반정립은 이미 정립된 의식을 반성함으로써 형성Bildung된다. 새로운 자기가 태어난 것이다. 그때 신언관은 이런 모습이었다.

남과 북은
하나의 민족, 하나의 뿌리
자주의 깃발 아래
통일 조국 만들어 내자

언제까지 노예로 살 것인가
근로 대중의 총단결로
투쟁의 들불 일으켜
민중 해방 이루어 내자

철천지원수 왜놈들
독도 바다에 수장시키고
제국의 앞잡이 양키놈 침략자들
위대한 조국의 영토에서
깡그리 몰아내자

–「에이투쁠 진보」 중에서

이 시는 시집 『엇배기 농사꾼의 늙은 꿈』을 상징하면서 혁명으로 이루어 낸 민주 사회에 만연한 또 다른 특권과 모순을 비판하는 대표작이다. 이 시에서 묘사된, 특권을 누리고 내 몫을 챙기는 지배층은 '나의 친구들'이다. 그들은 이제 개혁을 빙자하면서 '독선의 작두 위에서 / 언월도 휘두르는 선무당'이 되었다. 이런 현실을 직시한 시인은 실망과 절망을 느끼고 분노와 비판을 거쳐 우울과 회한의 한숨을 내쉰다. 사실 5부로 구성된 시집 전체가 옛 동지 '나의 친구들'에 대한 비판과 자신에 대한 자조自嘲가 주류를 이룬다. 그런 점에서 이번 시집 『엇배기 농사꾼의 늙은 꿈』은 이미 여러 권의 시집을 상재한 시인 신언관에게 인생사의 전환점이 될 것이다. 하여간 '그들과 나'는 목숨을 나눈 혁명의 동지였는데 왜 다른 세계관을 가지게 되었을까?

2. 위선과 패배의 변증법

「에이투뿔 진보」는 2023년의 신언관이 옛 동지들의 진보팔이와 감성팔이를 비판하는 이 시집의 대표작이다. 그런데 그 비판은 1978년의 신언관 자신에게도 해당한다. 1978년의 신언관도 이 시에서 한 말을 그대로 했었다. 그러므로 「에이투뿔 진보」는 옛 동지 '나의 친구'만 부정하는 것이 아니라 신언관 자기 자신도 부정하는 것이다. 자기가 자기를 부정하는 것은 언제나 일어나는 일이다. 물론 당시의 '통일 조국', '민중 해방', '독재 타도'는 역사의 향방이었다. 그것이 진리였고, 그것이 당위였고, 그것이 필연이었다. 그러니까 1978년의 에이투뿔 진보는 시대정신인 진실이지만 2023년의 에이투뿔 진보는 반시대적인 위선이다. 그렇다면 왜 이 시가 자신에 대한 비판이 되는 것인가? 그것은 신언관의 의식 내에서 일어나는 주체의 분열 때문이다. 그는 때때로 자신을 낙오자, 패배자로 자인한다. 그리고 옛 동지 '나의 친구들'을 위선자로 낙인찍는다. 그런데 위선자의 낙인은 사실 「패배자의 고백」이다.

생명과 평화 그리고
자유와 인권을 주창하면
혁명에 반하는
개량주의라 생각하여
혁명을 망치는 독이라 여겼다

이제 혁명이 떠난 그 자리에
탐욕과 권력이 요동치고
그런 자신을
아직도 역사의 정의라고 속이며
순결로 포장하여

자신과 시대를 능멸하고 있다

어느덧 뒤돌아보니

나의 친구들,

진보팔이 구더기 똥통에 빠져

아직도 허우적대며

위선의 구린내 풍기고 있구나

—「패배자의 고백」 중에서

이 시의 제목 「패배자의 고백」은 시인 신언관 자신의 자신에 대한 고백이다. 2023년의 신언관은 이제 생명, 평화, 자유, 인권을 사랑하는 성숙한 인간이 되었다. 의식의 발전으로 보면 즉자대자로 통합되고 고양Aufhebung된 지혜로운 신언관이다. 그런데도 시인은 '패배자의 고백'이라고 썼다. 이 시 텍스트에서 누가 승리자인가? 그것은 과거의 진보를 팔아 권력과 명예를 누리는 '나의 친구들'이다. 그들은 앞의 시 「에이투뿔 진보」에서 보여준 가식과 가면을 쓰고 있는 위선자들이다. 위선은 'a. 실제로는 선하지 않은 자기, b. 표면적으로는 선한 자기'의 인격적 이중성으로 드러난다. 이중인격dual personality, 二重人格은 한 사람이 두 개의 서로 다른 정체성을 가지고 있으면서 정교하게 조작하여 자신을 선善하게 연출하는 것이다.

위선은 단순한 기만이 아니라 조작된 기만이다. 그래서 위선은 단순한 거짓말보다 더 큰 비난을 받는다. 그런데도 '나의 친구' 옛 동지들은 「에이투뺄 진보」에서처럼 거짓 신호False Signaling를 보내서 사람들을 교란한다. '나의 친구'들이 자기기만의 대가로 얻은 것이 권력과 명예와 재화다. 시인 신언관은, 자기를 기만하는 '나의 친구'를 승리자로, 자기를 기만하지 못하는 자신을 패배자로 설정했다. 그래서 나온 시가 「패배자의 고백」이다. 그리고 자신을 고독한 낙오자 「돌시인」으로 규정한다. 그런데 「돌시인」 다음 시 「탓할 역사는 없다」에서는 낙오자가 아니라 산책자 신언관이 등장한다. 아마도 이것이 2023년의 진정한 신언관일 것이다.

누가 통일 세력이고
누가 반통일 세력인가

어느 규정, 어느 잣대도
기준이 될 수 없다
그저 사실만이 있을 뿐

백 년 뒤, 혹은 내일모레
전쟁으로 통일되든

아니면 다른 어떤 경우라도
옳고 그름 있을 수 없는

사실만이 남을 뿐

–「탓할 역사는 없다」 중에서

이 시에서 신언관은 민족사를 오고 가는 역사의 산책자다. 산책자flaneur 신언관은 민족의 역사에 대해서 관조자의 시선을 보내고 있다. 관조하는 산책자의 눈에 역사는 그저 사실일 뿐이다. 그래서 백제와 신라의 역사도 사실일 뿐 그 자체로 참과 거짓을 가릴 수 없다고 말한다. 이제 그는 역사를 소요逍遙의 오솔길로 삼는다. 그런데 위 세 편의 시를 비교해 보면 주체의 분열 현상이 감지된다. 「에이투뿔 진보」에서는 분노와 비판 의식, 「패배자의 고백」에서는 낙오자 의식, 「탓할 역사는 없다」에서는 너털웃음 웃는 산책자 의식이 드러난다. 시인이자 농사꾼인 신언관은 이제 민족사와 개인사를 산책하는 산책자가 되어 과거를 돌아본다. 이 중에서 마지막 너털웃음 웃는 산책자가 분열된 신언관들을 통합하는 즉자대자 신언관이다. 이 연장선에서 신언관 자신의 존재사存在史를 솔직하게 쓴 시가 「긴 역사의 한 점이거늘」이다.

그간 두 차례 징역 살고

수차례 유치장에 끌려가고

한때는 현상금 붙은 전국 수배령까지 당했는데

그리고 몇 차례 출마라는 것도 해보고 나서

이제야 알게 되었으니

어느덧 백발의 듬성한 머릿결이

봄바람에 하나둘 뽑혀 나가고

빈 들판 논둑에 앉아

산등성이 넘어가는 기러기 쫓아가니

흐르는 강물 위로 구름만이 고요하구나

–「긴 역사의 한 점이거늘」 중에서

2023년의 신언관은 어느덧 백발의 황혼이 되어가고 있었다. 미네르바의 부엉이가 날자 드러난 진실은 '백발의 듬성한 머릿결, 흐르는 강물, 봄바람'이었다. 자기 존재사를 산책하는 시인의 마음은 '흐르는 강물 위로 구름만이 고요하구나'에서 강물과 구름으로 은유되어 있다. 강물과 구름에 이르기까지 그는 얼마나 많은 아픔과 희망의 길을 걸어왔던가? 그가 진보팔이 감성팔이를 하는 위선자가 되지 않고 너털웃음 웃는 아름다운 패배자가 된 길을 다시 한번 살펴보기로 하자.

청년 학생의 시절 그는 온 몸을 던져 군사 독재 타도, 민족 통일, 민중 해방, 민주주의를 외쳤다. 그것이 그에게 주어진 배역이었다. 그 시절의 시대정신과 민족정신은 징역 살고 수배당하는 것이었다. 헤겔은 『역사철학강의』에서 '어떤 사람도 그 시대를 넘어설 수 없다. 왜냐하면, 그 시대의 정신이 곧 그의 정신Spirit of his time이기 때문이다'라고 말했다. 헤겔이 말한 시대의 정신Geist은 마음, 영혼, 의식, 이념을 포함하는 동시에 개인을 넘어서는 형이상학적 의식이면서 역사의 발전을 추동하는 이성이다. 아울러 헤겔은 역사 발전에는 객관적 법칙이 있다고 믿었는데 이때의 객관은 주체인 의식과 객체인 대상이 일치하는 진리다. 이 역사 발전은 자유를 향한 정신이고 거기에는 절대 정신이라는 더 근원적인 질서와 원리가 통일적으로 작동한다. 그러니까 대낮의 신언관은 자유와 보편의 역사를 실천하는 민족사적 개인이었고, 시대정신을 실천하는 청년 학생 투사였다. 그에게는 다른 선택을 할 무식無識이 없었다.

그러나 2023년 미네르바의 부엉이가 날고 황혼과 밤이 오고 지혜가 자기를 깨우자 짙은 회한이 몰려왔다. 지난날은 정녕 꿈이었던가? 2023년의 신언관은 1978년의 신언관에게 묻고 또 묻는다. 목숨 걸고 투쟁한 진실은 어디에 있는 것인가? 나의 꿈, 나의 진실, 나의 시간은 대체 어디에 있는 것인가? 후회는 아니지만 회한이 짙어지자 시인은 이렇게 묻는다. '나는 헤겔이 말한 이성의 간계에 빠졌던 것인가?' 이성의 간계List der Vernunft란 이성은 인간이 알 수 없는 간계를 통해서 자기 목적을 실현한다는 헤겔 논리학과 역사철학의 개념이다. 이성은 교활하게도 (인간이 모르도록) 간계를 부리면서 자신의 목표인 절대 정신을 실현한다.

헤겔은 『대논리학』에서 목적이 실현되는 논리적 과정을 이성의 간계로 설명했으며, 『역사철학강의』에서 목적을 향한 역사의 행정을 이성의 간계로 분석했다. 이성의 간계Cunning of Reason는 헤겔의 목적론적 역사에서 해석되어야 한다. 일반적인 목적론teleology, 目的論은 모든 인간의 행위, 발생한 사건, 자연 현상에는 목적이 있다는 철학적 입장이고, 목적론적 역사는 정해진 목적에 따라서 역사가 전개된다는 역사철학의 관점이다. 헤겔은 인류의 역사를 최종목적인 자유를 향해서 전진하는 변증법적 운동으로 보았다. 이런 목적론적 역사는 결정론의 성격이 있다. 그렇다면 인간의 자유 의지는 없는 것인가? 헤겔은 결정되어 있는 역사의 목적을 전제하면서 한편 인간의 자유 의지와 자기 의식을 인정했다. 1978년의 신언관은 자신의 판단에 의해서, 그리고 자신의 열정에 따라서 투사가 된 것이다. 그러니까 신언관은 역사의 목적에 복무하기는 했지만 그것은 전적으로 자유의지에 따르는 자신의 선택이었다. 1978년의 그 시절이 신언관의 대낮이었다.

3. 엇배기 농사꾼의 찬란한 꿈

앞에서 살펴본 것처럼 누구도 신언관 그를, 서정 시인으로 생각하지 못했다. 아니 서정 시인이 아닐 것이라고 생각했을 것이다. 신언관 그는 누가 보아도 민족사의 명운을 걸고 싸우던 투사였고 그 이야기를 남기는 서사 시인이었다. 그런데 그는 다음과 같은 서정의 아름다운 마음을 보여주었다.

> 살갗을 뚫고 솟아나는
> 욕정을 견디다 못해
> 강물에 몸을 던져
> 수십 길 물속에서 밤새워 빛을 뿜다가
> 새벽이슬로 사라지는
> 정월의 북한강 달빛
>
> —「북한강 달빛」 전문

서정시抒情詩는 마음의 정을 이끌어[抒] 공감하도록 하는 단형시의 일종이다. 서정시는 정을 기술한다는 의미에서 서정시敍情詩로 쓰기도 한다. 따라서 서정시는 감정과 감성을 우선하는 시다. 서정시 「부엉이」의 서정성은 대상의 물Ding과 인식의 주체인 시적 화자poetic narrato 또는 시적 자아poetic self의 내밀한 교감에서 나온다. 신언관의 서정시는 이전 시들과는 다른 서술의 방법과 화자의 화법을 취하고 있다. 시적 화자와 서정시의 관계를 잠시 살펴보기로 하자.

「북한강 달빛」은 한 호흡으로 읽히는 단형 서정시다. 이 작품은 시 속에 그림이 있는 시중유화詩中有畵와 그림 속에 시가 있는 화중유시畵中有詩를 떠올리게 만드는 수작이다. 「북한강 달빛」은 시 바깥에 그림이 있어, 그림을 따라 그림 속으로 가면 거기 시가 있는 그런 작품이다. 「북한강 달빛」에 담긴 시중유화는 (시가 풍경을 사실적으로 표현한 것이 아니라) 시가 표현한 풍경에 의경, 의상, 운미韻味가 펼쳐지는 특이한 정경교융이다. 시가 올라설 수 있는, 그리고 올라서야 하는 가장 높은 경지인 시중유화는 곽희의 이론에서 유래한다. 북송의 화가 곽희郭熙(1020?~1090?)는 '그림은 소리 없는 시이고 시는 형상 없는 그림이다畵是無聲詩詩是無形畵'라고 말하여 시를 소리, 그림을 형상으로 등식화했다. 이때의 소리는 이야기가 율격과 리듬에 맞게 표현된 것이고 형상은 이미지가 음영과 색조로 표현된 것이다. 「북한강 달빛」 달의 이미지를 통해서 시중유화를 담은 단형 산수시의 일종이다. 그렇다면 시인은 어떻게 시중유화를 표현할 수 있었을까?

이 시의 통사구조는 하나의 주어(S)와 하나의 술어(P)로 구성된 단순 구조다. 주어는 '정월의 북한강 달빛'이고 술어는 '새벽이슬로 사라지는'이다. 이 문장은 '정월의 북한강 달빛(S)은 새벽이슬로 사라졌다'이고 더 줄이면 '달빛은 사라졌다'이다. '살갗을 뚫고 솟아나는 / 욕정을 견디다 못해 / 강물에 몸을 던져 / 수십 길 물속에서 밤새워 빛을 뿜다가'는, 모두 주어인 '달빛'을 묘사한 것이다. 생략된 주어로 내포된 의미를 복원해 보면 다음과 같다. '북한강 달빛(S)은 살갗을 뚫고 솟아나는 욕정을 견디지 못한다.' 그리고 '북한강 달빛(S)은 강물에 몸을 던져 수십 길 물속에서 밤새워 빛을 뿜는다.' 그러니까 이 시의 통사 구조는 하나의 주어(S)에 세 개의 서술어(P1, P2, P3)가 층위를 나누면서 배치된 복문이다. 하지만 단형의 이미지를 그릴 수 있었던 이유는 시적 화자가 주어 '북한강 달빛'을 깊이 있게 묘사했기 때문이다. 만약 주어 '정월의 북한강 달빛'을 첫 번째 행에 배치했더라면 그림이나 소설은 될 수 있었겠지만 시는 될 수 없었을 것이다. 주어와 술어의 위치를 바꾸어 보면 어떻게 하여 시중유화가 되었는지 알 수 있다. '정월의 북한강 달빛은 / 살갗을 뚫고 솟아나는 / 욕정을 견디다 못해 / 강물에 몸을 던져 / 수십 길 물속에서 밤새워 빛을 뿜다가 / 새벽이슬로 사라졌다.' 이렇게 평서문으로 바꾸면 이 문장은 아름다운 문장이고 상큼한 묘사이지만 시적인 표현이 아니라는 것을 알 수 있다. 이런 표현이 가능했던 이유는 시인 신언관 자신은 시 텍스트에서 철수하고 그 자리에 자신을 대리하는 시적 화자를 배치했기 때문이다.

시적 화자poetic narrator, 詩的 話者는 시 안에서 이야기하는 존재다. 시적 서술자, 시적 자아poetic self, 서정적 자아, 서정적 화자 등으로 불리기도 한다. 시적 화자는 시를 이야기로 간주하는 것과 시적 청자를 전제로 하는 개념이고 시적 서술자詩的 敍述者는 시 텍스트poetic text와 시적 독자를 전제로 하는 개념이다. 시적 서술자는, 다른 시에서는 시인 신언관으로 존재하다가 이 시에서는 시적 화자로 존재한다. 이렇게 하여 시인 신언관은 사라지고 시적 서술자를 시 텍스트에 매복시켜서 훌륭한 미적 가상Asthetischer schein, 美的 假象을 만들 수 있었다.

신언관 시인에게 서정시가 중요한 이유는, 서정시에는 시인 신언관과는 다른 허구의 시적 서술자가 존재하기 때문이다. 다른 시의 서술자는 시인 신언관 자신이고 서정시의 서술자는 신언관이 아닌 시적 화자다. 그리고 다른 시는 사실을 새롭게 재현한 것이고 서정시는 시적 화자가 만든 미적 가상이다. 미적 가상이 형상한 서정시에서 시의 이야기와 시의 목소리는 모두 시적 화자가 말하는 것이다. 이 시에서 시적 화자는 '~었지'를 어미로 반복하여 과거 회상의 정취를 더했다. 과거 회상은 시적 화자가 현재의 시간(t)에서 과거의 시간(t−n)을 회상하면서 현재의 자기를 돌아보는 어법이다. 만약 시적 화자가 '보름달이 구름에 가린 밤이었다’로 시작했다면 평서문의 묘사에 담긴 의미가 있을 뿐, 미적 가상을 만들지 못했을 것이다. 그런데 시적 화자는 ‘~었지’를 반복하여 시간의 율동을 정신의 율동으로 만들어 냈다. 전체적으로 「북한강 달빛」은 산뜻한 이미지와 상징적 은유와 내적 리듬으로 독자의 정감을 이끌어낸다. 평이한 표현이 특이한 교감이 되고 순차적 시간이 회귀적 시간이 되면서 정情을 담은 한 편의 서정시가 태어났다. 그다음 시는 시적 화자이면서 혁명가라는 쉽지 않은 이중 화자의 목소리가 실려 있다. 그것은 진정한 친구, 옛 동무, 다정하고도 진실한 친구들을 불러 꽃동산을 만드는 것이다.

어여 오시게나,
산과 들이 꽃 천지
봄바람까지 불어오니
목젖 열고 큰 소리로
같이 노래 부르세

저기 저 호반새 좀 보시게
짝 놓치지 않으려
고우꾸 고우꾸 꾸꾸
굴멍 울리도록 노래하네
앞산이 부르니

뒷산에게 달려가네

손과 발이 덩더쿵
너울춤 추며
내 건너 고개 넘어
그대가 보내온
향기 좇아 달려가면
눈 감고도
백 리는 쉬 가겠네

—「친구에게」 중에서

「친구에게」에서는 다시 시인 신언관이 시 텍스트 안으로, 가상에서 현실로 귀환한다. 시적 화자에서 다시 시인 신언관으로 돌아온 이유는 아름다운 대동 세상을 직설법으로 표현하기 위해서였다. 그 대동 세상은 호반새 고우꾸 고우꾸 지저귀고, 산과 들이 꽃 천지인 그런 세상이다. 이제 신언관은 시적 화자도 버리고 시인도 버리고 엇배기 농사꾼 자연인으로 돌아왔다. 청년 신언관이 민주주의, 민중 해방으로 자신을 정립하고, 중년 신언관이 그런 과거의 자신을 부정하여 반정립하고, 장년 신언관은 부정을 부정하여 새로운 자기를 긍정했다. 그것이 엇배기 농사꾼 신언관이다. 정립한 즉자 신언관이 반정립한 대자 신언관에게 부정당하면서 자연인 신언관은 패배자, 낙오자로 자신을 가학했었다. 그러나 그 가학적 부정은 자연인 신언관의 진심이 아니다. 그리고 위선자로 비난했던 '나의 친구'에 대한 부정도 아니다. 그의 진심은 여전히 동지를 사랑하고, 혁명의 미래를 꿈꾸며, 산과 들을 꽃 천지로 만드는 것이다. 신언관이 꿈꾸는 것은 현실의 유토피아다. 현실을 사랑하는 그의 진정은 이 시집의 표제시인 다음 「엇배기 농사꾼의 늙은 꿈」에 담겨 있다.

> 젊은이들이 찡그리며 등 돌린 곳
> 꿈을 찾기엔 황량한 곳
> 별 의미 없이 늙어가는 곳
> 늘 탈출을 생각하게 하는 곳
>
> 커피잔 얼음이 다 녹아
> 앞날처럼 미지근해지면
> 갈 데 없이 나선 발걸음이 절룩인다
> 한여름 오후의 햇빛이 따갑다
>
> –「엇배기 농사꾼의 늙은 꿈」 중에서

이 작품은 현실에 대한 증오와 사랑이 교차하는 이율배반 antinomy의 심정을 담은 표제작이다. 현실적 장소이면서 공간인 '곳'은 기표 2023–신언관의 현장이다. 이 '곳'을 택한 이유는 '세상에 패배'(「푸념」)했기 때문일까? 시인은 시집 곳곳에서 자신이 패배했기 때문에 이 공간에 유폐당한 것으로 자신을 묘사하고 있다. 그렇다면 우리는 신언관에게 되물어야 한다, 이렇게. "정녕 당신이 원했던 승리란 무엇인가? 당신이 목숨 건 인정 투쟁을 벌인 것은 세속적 출세를 위한 것이었던가? 민중 해방의 그 날은 과연 어떤 날인가?, 한때 기웃거렸던 정치가가 되고, 고관대작이 되고, 유명인사가 되는 것이 승리인가?"

정언명제Categorical proposition와 정언명령Categorical imperative으로 다시 규정하건대 신언관은 그런 속물이 아니다, 속물이 아니어야 한다, 속물이 아니라고 믿는다. 만약 신언관이 속세의 출세를 추구한다면 그것은 진정한 자기 부정이다. 그리고 자기 존재 회복이 불가능한 절대 부정이다. 신언관은 존재론적 회의懷疑를 한 적이 있지만 진정한 자기 부정을 한 적은 없다. 따라서 낙오자, 패배자에 담긴 신언관의 부정은 절대적 자기 부정이 아니라 상대적 자기 부정으로 읽어야 한다. 이 시집 전체에는 자기 정립의 긍정, 정립된 자기의 부정, 부정의 부정, 부정의 부정의 부정, 부정의 부정의 부정으로서의 긍정이 교차하고 있다. 그것은 시적 화자이자, 시인이자, 투사였고 자연인인 신언관의 의식 내면이 그렇기 때문이다. 아마도 이런 내면의 굴곡은 앞으로도 계속될 것이다. 그럴 때, 자신이 작사한 창작 가곡 「밤길」의

가사처럼 '가던 길 잠시 멈추'고 '동산 위 샛별 바라보고' 기도하는 시인이리라 믿는다.

처음부터 신언관은 알고 있었다. 다 부질없다는 것을. 그래서 자연인 신언관은 시인 신언관에게 이렇게 속삭인다. '시인들이여 / 진영의 울타리에 갇혀 / 비와 바람과 햇빛의 영혼을 / 병들게 하지 말지어다 / 그대 영혼의 날개를 / 맘껏 펼쳐 광활한 창공으로 / 힘차게 날아올라야 하지 않겠는가' (「이제 한숨을 멈춰라」). 황혼이 지면 하늘로 날아오르는 것은 미네르바의 부엉이만이 아니다. 나도 날고 너도 날고 진영을 넘어 모두 날 것이다. 그때 2023년의 신언관이 답한다. 그 최종의 답이 다음과 같은 '엇배기 농사꾼의 찬란한 꿈'이고 신언관의 세계관이고 신언관의 철학이다. 그 찬란한 꿈 '그냥 허허 웃지요', 이것이 대낮의 신언관과 밤의 신언관을 관류하는 시적 아포리아다.

> 비록 견마 잡힐 권세는 없어도
> 사랑 담을 품은 넓어
>
> 세상이 날 보고 웃으면
> 그냥 허허 웃지요
>
> —「그래, 맞아 2」 중에서

엇배기 농사꾼의 늙은 꿈

초판 1쇄 발행 2023년 03월 30일

지은이 신언관
펴낸이 조기조

펴낸곳 도서출판 b
등 록 2003년 2월 24일 (제2006-000054호)
주 소 08772 서울시 관악구 난곡로 288 남진빌딩 302호
전 화 02-6293-7070(대) 팩시밀리 02-6293-8080
누리집 b-book.co.kr 전자우편 bbooks@naver.com

ISBN 979-11-92986-02-9 03810
값_12,000원